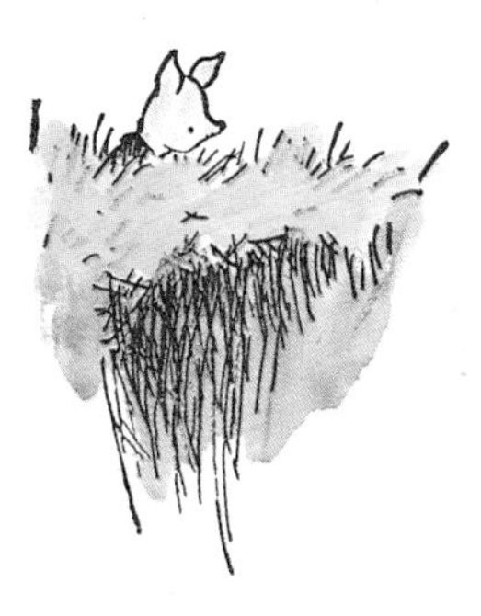

Cochonnet rencontre un Éphalant

A.A. MILNE
ILLUSTRÉ PAR
ERNEST H. SHEPARD

GALLIMARD

Un jour que Christophe Robin et Winnie l'Ourson et Cochonnet étaient en train de causer tous ensemble, Christophe Robin acheva la bouchée qu'il mangeait et dit négligemment :

– Cochonnet, j'ai rencontré un Éphalant aujourd'hui.

– Que faisait-il ? demanda Cochonnet.

– Rien, il avançait lourdement, dit Christophe Robin. Je ne crois pas qu'il m'ait vu.

– J'en ai vu un une fois, dit Cochonnet. Du moins je le crois. Mais peut-être que ce n'en était pas un.

– Moi aussi j'en ai vu un, dit Winnie, en se demandant à quoi ressemblait un Éphalant.

– On n'en voit pas souvent, dit Christophe Robin négligemment.

– Pas en ce moment, dit Cochonnet.

– Pas à cette saison de l'année, dit Winnie.

Ensuite ils se mirent tous à parler d'autre chose, jusqu'à ce qu'il fût l'heure pour Winnie et Cochonnet de retourner ensemble au logis. Tout d'abord, tandis qu'ils longeaient, clopin-clopant, le sentier qui borde le bois de Cent Arpents, ils ne se dirent pas grand-chose ;

mais, quand ils arrivèrent au ruisseau
et qu'ils se furent aidés mutuellement à passer
sur les pierres qui permettaient de le franchir,
et qu'ils purent de nouveau marcher côte
à côte sur la bruyère, ils commencèrent
à parler amicalement de ceci et de cela ;
et Cochonnet dit :

– Si tu vois ce que je veux dire, Winnie,
et Winnie dit :

– C'est exactement ce que je pense
moi-même, Cochonnet,
et Cochonnet dit :

– Mais d'autre part, Winnie, il faut bien
se rappeler, et Winnie dit :

– Très juste, Cochonnet, et pourtant je l'avais
oublié sur le moment.

Et puis, juste comme ils arrivaient
aux Six Pins, Winnie regarda autour de lui

pour voir si personne n'écoutait, et déclara d'une voix très solennelle :

– Cochonnet, j'ai décidé quelque chose.

– Qu'as-tu décidé, Winnie ?

– J'ai décidé d'attraper un Éphalant.

Winnie hocha la tête plusieurs fois en disant ces mots, et attendit que Cochonnet dise : « Comment ça ? » Ou encore : « Pas possible, Winnie ! » ou quelque chose de ce genre ; mais Cochonnet ne dit rien. En vérité Cochonnet aurait bien voulu y avoir pensé, lui, le premier.

– Je l'attraperai, dit Winnie, après avoir attendu quelque temps, au moyen d'un piège. Et il faudra que ce soit un Piège Astucieux, aussi tu devras m'aider, Cochonnet.

– Winnie, dit Cochonnet, en se sentant de nouveau très heureux, je veux bien. Comment ferons-nous ?

Et l'Ours dit :

– Là est la question. Comment ?

Et puis ils s'assirent tous les deux pour y réfléchir.

La première idée de Winnie fut qu'ils devaient creuser une Fosse Très Profonde,

et ensuite l'Éphalant passerait
par là et tomberait dans la Fosse, et...

– Pourquoi ? dit Cochonnet.

– Pourquoi quoi ? dit Winnie.

– Pourquoi tomberait-il dans la Fosse ?

Winnie se frotta le nez avec sa patte, et dit que l'Éphalant pourrait bien se promener par là, en fredonnant une petite chanson et en regardant le ciel en se demandant s'il allait pleuvoir, et, ainsi il ne verrait la Fosse Très Profonde que lorsqu'il serait presque au fond, et alors il serait trop tard.

Cochonnet dit que c'était là un très bon Piège ; mais, dans le ças où il pleuvrait déjà ?

Winnie se frotta le nez de nouveau, et dit qu'il n'avait pas pensé à ça. Et puis il se dérida, et dit que, s'il pleuvait déjà, l'Éphalant regarderait le ciel en se demandant s'il allait s'éclaircir, et ainsi il ne verrait la Fosse Très Profonde que lorsqu'il serait presque au fond... Et alors il serait trop tard.

Cochonnet déclara que, maintenant que ce point avait été expliqué, il pensait que c'était un Piège Astucieux.

Winnie fut très heureux d'entendre cela, et il lui sembla que l'Éphalant était déjà pris – ou peu s'en fallait –, mais il restait encore une chose à laquelle il fallait réfléchir, et c'était ceci : Où fallait-il creuser la Fosse Très Profonde ?

Cochonnet dit que le meilleur endroit serait quelque part où se trouverait un Éphalant, juste avant qu'il ne tombe dedans, environ à trente centimètres de lui.

– Mais alors il nous verrait en train de la creuser, dit Winnie.

– Pas s'il regardait le ciel.

– Il aurait des Soupçons, dit Winnie, s'il venait par hasard à baisser les yeux.

Il réfléchit longtemps, et puis ajouta avec tristesse : ça n'est pas aussi facile que je croyais. Je suppose que c'est pour ça qu'on n'attrape presque jamais d'Éphalant.

– Ce doit être pour ça, dit Cochonnet.

Ils soupirèrent et se levèrent ; et quand ils se furent ôté mutuellement quelques piquants d'ajoncs, ils se rassirent ; et pendant tout ce temps-là, Winnie se disait : « Si seulement je pouvais penser à quelque chose ! » Car il était sûr qu'un Cerveau Très Ingénieux pourrait attraper un Éphalant si seulement il savait la bonne façon de s'y prendre.

– Supposons, dit-il à Cochonnet, que toi tu veuilles m'attraper, moi ; comment ferais-tu ?

– Ma foi, dit Cochonnet, je ferais comme ceci. Je ferais un Piège, et je mettrais un Pot de Miel dans le Piège, et tu le sentirais, et tu entrerais dans le Piège pour avoir le Miel, et...

– Et j'entrerais dans le Piège pour avoir le Miel, dit Winnie très excité, mais avec beaucoup de précautions pour ne pas me blesser, et j'arriverais au Pot de Miel, et je commencerais par lécher les bords en faisant semblant de croire qu'il n'y en a pas

d'autre, vois-tu, et puis je m'éloignerais
et je réfléchirais un peu, et puis je reviendrais
et me mettrais à lécher au milieu du pot,
et puis...

– C'est entendu, mais je me moque de cela.
Tu serais là et c'est là que je t'attraperais.
Maintenant, la première chose à laquelle
il faut penser est : Qu'est-ce qu'aiment
les Éphalants ? Des glands, je pense ;
qu'en penses-tu ? Nous allons ramasser
une quantité de... Dis-donc, Winnie, réveille-toi !

Winnie, qui était perdu dans un rêve
de bonheur, se réveilla en sursaut et dit que
le Miel était une chose beaucoup plus perfide

que les Glands. Ce n'était pas l'avis de Cochonnet, et ils allaient commencer à discuter là-dessus, lorsque Cochonnet se rappela que, s'ils mettaient des glands dans le Piège, c'est lui qui devrait chercher les glands, mais que, s'ils mettaient du miel, c'est Winnie qui devrait donner un peu de son miel ; aussi il dit :

– D'accord, va pour du miel, juste au moment où Winnie se rappelait la même chose et s'apprêtait à dire : « D'accord, va pour des glands. »

– Du miel, répéta Cochonnet pensivement, comme si l'affaire était réglée. C'est moi qui vais creuser la fosse pendant que toi tu iras chercher le miel.

– Très bien, dit Winnie ; et il s'en alla clopin-clopant.

Dès qu'il fut chez lui, il alla droit au garde-manger, et il monta sur une chaise, et descendit un grand pot de miel qui se trouvait sur la dernière planche. Le mot MIELLE était écrit dessus, mais, pour être tout à fait sûr, il ôta le papier qui le couvrait, et ça ressemblait bien à du miel.

– Mais on ne sait jamais, dit Winnie. Je me rappelle que mon oncle m'a dit une fois qu'il avait vu du fromage exactement de cette couleur. Aussi il mit sa langue dedans et prit une grande lichée. Oui, dit-il, c'est du miel. Pas de doute. Et c'est du miel, je crois, jusqu'au fin fond du pot. A moins que, bien sûr, ajouta-t-il, quelqu'un ait mis du fromage au fond pour me faire une farce. Peut-être que je ferais mieux d'aller un petit peu plus loin... juste au cas... au cas où les Éphalants n'aimeraient pas le fromage... exactement comme moi... Ah ! Et il poussa un profond soupir. J'avais tout à fait raison. C'est bien du miel, jusqu'au fin fond du pot.

Étant maintenant tout à fait sûr de cela, il apporta le pot à Cochonnet, et Cochonnet leva les yeux du bas de sa Fosse Très Profonde et dit :

– Tu l'as ?

Et Winnie répondit :

– Oui, mais ce n'est pas un pot tout à fait plein ; et il le jeta à Cochonnet, et Cochonnet dit :

– Non, il n'est pas plein ! C'est tout ce qui te reste ?

– Oui, répondit Winnie, parce que c'était vrai.

Aussi Cochonnet plaça le pot au fond de la Fosse et sortit de la Fosse, et ils rentrèrent chez eux tous les deux.

– Eh bien, bonne nuit, Winnie, dit Cochonnet,

quand ils furent arrivés à la maison de Winnie l'Ourson. Et nous nous rencontrerons demain matin à six heures auprès des Six Pins, pour voir combien d'Éphalants il y aura dans notre Piège.

– Entendu pour six heures, Cochonnet. Et as-tu de la ficelle ?

– Non, pourquoi veux-tu de la ficelle ?

– Pour les ramener chez nous.

– Oh !... Je crois que les Éphalants viennent quand on les siffle.

– Quelques-uns, oui, d'autres, non. On ne sait jamais avec les Éphalants. Eh bien, bonne nuit !

– Bonne nuit !

Et Cochonnet s'en fut au petit trot jusqu'à sa maison DÉFENSE D., tandis que Winnie se préparait à se mettre au lit.

Quelques heures plus tard, juste au moment où la nuit commençait à s'enfuir, Winnie se réveilla brusquement avec une sensation de creux. Il avait déjà éprouvé cette sensation de creux, et il savait ce que cela voulait dire. Il avait faim. Aussi il alla au garde-manger, et il monta sur une chaise, et étendit la patte jusqu'à la dernière planche, et trouva... rien du tout.

« C'est bizarre, pensa-t-il, je sais que j'avais là un pot de miel. Un plein pot, plein de miel jusqu'au bord, et il y avait MIELLE écrit dessus, afin que je sache que c'était du miel. »

Et alors il commença à se promener de long en large, en se demandant où était le pot de miel et en se murmurant un petit murmure. Comme ceci :

C'est vraiment très bizarre :
J'avais, dans une jarre,
Du miel !
J'ai bien toute ma tête,
Y avait une étiquette
Qui disait : MIELLE.
Un pot plein jusque-là.
Qui le retrouvera ?
Ma foi, je ne sais pas.
C'est bien bizarre.

Il s'était murmuré cela trois fois de suite, comme une espèce de chanson, lorsqu'il se souvint brusquement. Il avait mis le Pot dans le Piège Astucieux pour attraper l'Éphalant.

– Zut ! dit Winnie. Voilà ce que c'est que d'essayer d'être gentil pour les Éphalants.

Et il se recoucha.

Mais il ne put dormir. Plus il essayait de dormir, plus il en était incapable. Il essaya de Compter - des - Moutons, ce qui est parfois un bon système pour s'endormir, et, comme ça ne servait de rien, il essaya de compter

des Éphalants. Et c'était bien pis. Car chaque Éphalant qu'il comptait se dirigeait tout droit vers un pot du miel de Winnie, et le mangeait sans en laisser une miette. Pendant quelques minutes il resta étendu, très malheureux, mais quand le cinq cent quatre-vingt-septième Éphalant fut en train de se pourlécher les babines en se disant : « Quel miel excellent ! je ne crois pas en avoir jamais mangé de meilleur », Winnie ne put supporter cela plus longtemps. Il bondit hors de son lit, sortit de la maison en courant, et courut droit vers les Six Pins.

Le soleil était encore au lit, mais, dans le ciel au-dessus du Bois de Cent Arpents, il y avait une lueur qui semblait montrer qu'il était en train de s'éveiller et qu'il rejetterait bientôt ses draps d'un coup de pied. Dans la lumière pâle, les Pins avaient l'air froid et solitaire, et la Fosse Très Profonde avait l'air plus profonde qu'elle ne l'était, et le pot de miel de Winnie, tout au fond, était quelque chose de mystérieux, une forme, rien de plus. Mais, à mesure qu'il approchait, son nez lui disait que c'était bien du miel,

et il tira la langue et commença à astiquer sa bouche, prêt à manger.

– Zut ! dit Winnie, en mettant son nez dans le pot, un Éphalant l'a mangé. Et puis il réfléchit un peu et se dit :

« Oh ! non, c'est moi. J'avais oublié. »

En vérité, il en avait mangé la plus grande partie. Mais il en restait un peu tout au fond du pot, et il poussa sa tête droit dedans et se mit à lécher...

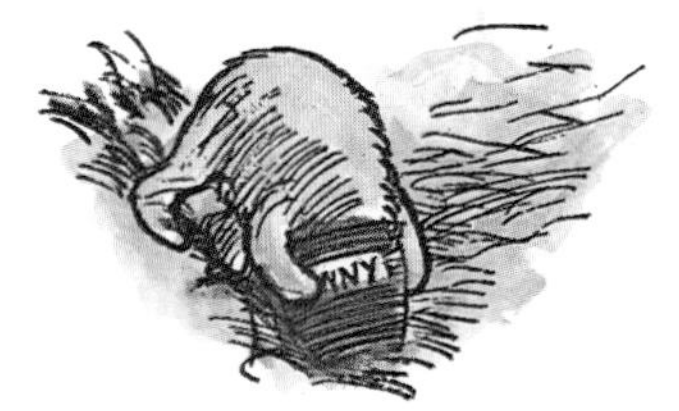

Un peu plus tard, Cochonnet s'éveilla. Dès qu'il fut réveillé, il se dit :

« Oh ! » Puis, il dit courageusement : « Oui », et puis, encore plus courageusement : « Parfaitement. »

Mais il ne se sentait pas très courageux, car, en réalité, le mot qui dansait la gigue dans sa tête était : Éphalant.

A quoi ressemblait un Éphalant ?

Était-ce Méchant ?

Est-ce que ça venait vraiment quand on sifflait ? Et comment ça venait-il ?

Est-ce que ça Aimait les Cochons ?

Si ça Aimait les Cochons, est-ce que ça faisait une différence entre un Cochon et un autre ?

En supposant que ce fût Méchant pour les Cochons, est-ce que ça ferait une différence si le Cochon avait un grand-père appelé DÉFENSE DANIEL ?

Il ne connaissait pas de réponse à toutes ces questions... et il allait voir son premier Éphalant d'ici une heure à peu près !

Bien sûr, Winnie serait avec lui, et un Éphalant était beaucoup plus Amical quand on était deux. Mais si les Éphalants étaient Très Méchants pour les Cochons et aussi pour les Ours ? Ne ferait-il pas mieux de faire semblant d'avoir mal à la tête et de ne pas pouvoir aller aux Six Pins ce matin ? Mais, d'autre part, en supposant qu'il fasse beau et qu'il n'y ait pas d'Éphalant dans le piège, lui, Cochonnet, serait là, dans son lit, toute la matinée, en train de perdre bel et bien son temps pour rien. Que devait-il faire ?

Et alors il eut une Idée Astucieuse. Il allait partir tout tranquillement pour les Six Pins

sur-le-champ, et il jetterait très prudemment
un coup d'œil dans le Piège pour voir

s'il y avait vraiment un Éphalant dedans.
Et s'il y en avait un il rentrerait se coucher,
et s'il n'y en avait pas il ne rentrerait pas.

Et le voilà parti. D'abord il pensa
qu'il n'y aurait pas d'Éphalant dans le Piège,
et puis il pensa qu'il y en aurait un, et,
à mesure qu'il approchait, il fut certain
qu'il y en aurait un, car il pouvait l'entendre
en train d'éphalantiser tant qu'il pouvait.

« Oh ! mon Dieu, oh ! mon Dieu, oh !
mon Dieu », se dit Cochonnet. Et il eut envie
de s'enfuir. Mais, je ne sais pourquoi,
il lui sembla que, puisqu'il était venu si près,
il lui fallait au moins voir à quoi ressemblait
un Éphalant. Aussi il se glissa lentement
jusqu'au bord du Piège et il regarda...

Et pendant tout ce temps-là, Winnie
avait essayé de retirer sa tête du pot
de miel. Plus il le secouait, plus le pot
tenait ferme.

« Zut ! » disait-il à l'intérieur du pot, et : « Au
secours ! » et, la plupart du temps : « Aïe ! »

Et il essayait de le cogner contre quelque
chose, mais, comme il ne pouvait pas voir
contre quoi il le cognait, ça ne l'avançait

pas à grand-chose ; et il essayait de grimper hors du Piège, mais, comme il ne pouvait rien voir que pot, et encore fort peu de pot, il ne pouvait trouver son chemin.

Aussi, finalement, il leva la tête, pot et tout, et poussa un grand beuglement de Tristesse et de Désespoir... et ce fut à ce moment précis que Cochonnet regarda.

– Au secours ! Au secours ! cria Cochonnet, un Éphalant, un Horrible Éphalant ! Et il

décampa à toute allure, sans cesser de crier : « Au secours ! Au secours ! un Herrible Ophalant ! Ausc', ausc' ! un Héphible Orralant ! Oursc', oursc' ! un Hophable Ellarant ! »

Et il ne cessa pas de crier et de décamper jusqu'à ce qu'il arrivât chez Christophe Robin.

– Qu'est-ce donc qui t'arrive, Cochonnet ?

dit Christophe Robin, qui était à peine
en train de se lever.

– Éph, dit Cochonnet, qui respirait si vite qu'il pouvait à peine parler, un Éph, un Éph, un Éphalant !

– Où ça !

– Là-bas, dit Cochonnet en agitant la patte.

– A quoi ressemblait-il ?

– Il ressemblait... il ressemblait... Il avait la tête la plus grosse que tu aies jamais vue, Christophe Robin. Une grande chose énorme qui ressemblait, qui ressemblait à... rien du tout. Une formidable grosse... qui ressemblait, ma foi, à je ne sais pas... qui ressemblait à un énorme gros rien du tout. Qui ressemblait à un pot.

– Bon, dit Christophe Robin en mettant ses souliers, je vais aller voir ça. Arrive.

Cochonnet n'avait pas peur si Christophe Robin était avec lui, et ils partirent...

– Je l'entends ; et toi, est-ce que tu l'entends ? dit Cochonnet d'une voix anxieuse, comme ils approchaient de la fosse.

– J'entends quelque chose, dit Christophe Robin.

C'était Winnie qui se cognait la tête contre une racine d'arbre qu'il avait trouvée.

– Là, tu vois ! dit Cochonnet. N'est-ce pas épouvantable !

Et il s'accrocha ferme à la main de Christophe Robin.

Soudain Christophe Robin se mit à rire... mais à rire... à rire... rire que riras-tu. Et pendant qu'il riait encore, « Bing ! » fit la tête de l'Éphalant contre la racine de l'arbre, « Crac ! »

fit le pot, et la tête de Winnie émergea.
Alors Cochonnet comprit quel stupide Cochonnet il avait été, et il eut tellement

honte de lui qu'il courut droit vers sa maison et alla se coucher avec une forte migraine. Mais Christophe Robin et Winnie rentrèrent ensemble pour prendre leur petit déjeuner.

– Oh ! Nounours, dit Christophe Robin. Comme je t'aime !

– Moi aussi, dit Winnie.

Traduction de Jacques Papy

ISBN 2-07-056564-5
Titre original : *Piglet Meets a Heffalump*,
extrait de *Winnie the Pooh* publié à l'origine
par Methuen & Co le 14 octobre 1926
Publié par Methuen Children's Books Ltd
dans la présente édition 1990

Numéro d'édition : 50916
Dépôt légal : Avril 1991
Imprimé à Hong Kong